Centro Di

D0445018

Arte:
Monografie e Cataloghi 1977-1978

CENTRO DI/EXPORT
Piazza dei Mozzi   1r
50125   FIRENZE
Italy

I prezzi indicati possono subire variazioni per disposizione degli editori.
Per eventuali ordinazioni si prega far riferimento al numero che precede il titolo.

Prices indicated are subject to change.
In ordering please refer to the code preceding each title.

MONOGRAFIE

1   ANTICHITA' DI VILLA DORIA PAMPHILI.
A cura di Raissa Calza.
Margherita Bonanno, Gaetano Messineo, Beatrice Palma,
Patrizio Pensabene.
Roma 1977, pp. 352 di testo + pp. 264 di illustrazioni b/n,
catalogo completo con bibliografia per ogni pezzo, concor-
danze con il Matz-Duhn, formato cm. 30 x 23, rilegato.
Lire 80.000

2   ARCIMBOLDO.
Testo di Roland Barthes.
"I segni dell'uomo"
Parma 1978, pp. 150, 15 illustrazioni a colori, formato
cm. 40 x 27, rilegato in seta con custodia.
Lire 70.000

3   Umberto Baldini
TEORIA DEL RESTAURO E UNITA' DI METODOLOGIA.
Firenze 1978, pp. 198, 170 illustrazioni a colori e b/n.
Lire 9.500

4   Anna Banti
GIOVANNI DA SAN GIOVANNI, PITTORE DELLA
CONTRADDIZIONE.
"Biblioteca di Proporzioni".
Firenze 1977, pp. 108 di testo + 144 illustrazioni b/n e
colori, regesto delle opere, bibliografia, indice per luoghi
e tavola di concordanza; formato cm. 27 x 21.
Lire 35.000

5   Giuliano Briganti
I PITTORI DELL'IMMAGINARIO, ARTE E RIVOLUZIONE
PSICOLOGICA.
Milano 1977, pp. 258, 237 illustrazioni, indice dei nomi e
delle opere, formato cm. 29 x 25,5, rilegato.
Lire 35.000

6   CAMPOSANTO MONUMENTALE DI PISA, LE ANTICHITA'.
Sarcofagi romani, iscrizioni romane e medievali.
A cura di Paolo Enrico Arias, Emilio Cristiani, Emilio
Gabba.
Pisa 1977, pp. 180 di testo + 122 di illustrazioni b/n,
bibliografia per ogni pezzo, formato cm. 29 x 24, rilegato.
Lire 28.000

CENTO ANNI DI ILLUSTRATORI
collana diretta da Paola Pallottino.

7   DUILIO CAMBELLOTTI.
Introduzione di Giulio Carlo Argan.
Bologna 1978, pp. 94; Lire 4.000

8   SERGIO TOFANO.
Introduzione di Paolo Poli.
Bologna 1978, pp. 94; Lire 4.000

9   MARIO POMPEI.
Introduzione di Ennio Zedda.
Bologna 1978, pp. 94; Lire 4.000

Di prossima pubblicazione:
ANTONIO RUBINO, Introduzione di Federico Fellini e
Bernardino Zapponi;
CARLO CHIOSTRI, Introduzione di Antonio Faeti;
ENRICO SACCHETTI, Introduzione di Enrico Gianeri (Gec).

10 I CENTRI STORICI DELLA LOMBARDIA.
A cura di Alberto Mioni e Renato Rozzi.
Milano 1975, 2 volumi, pp. 398, formato cm. 34 x 25,
rilegati in tela.
Lire 50.000

11 I CENTRI STORICI DELLA TOSCANA.
A cura di Carlo Cresti.
Milano 1977, 2 volumi, pp. 388, formato cm. 34 x 25,
rilegati in tela.
Lire 50.000

Le due opere constano di storia e aspetti di contesto territo-
riali per ogni centro (città, paese o borgo) esaminato, riccamen-
te documentato con cartografia e fotografie aeree a colori e b/n.

12 Centro Italiano di Studi di Storia e d'Arte, Pistoia.
    7^ Convegno Internazionale
    EGEMONIA FIORENTINA ED AUTONOMIE LOCALI NELLA
    TOSCANA NORD-OCCIDENTALE DEL PRIMO RINASCIMEN-
    RO: VITA, ARTE, CULTURA.
    Pistoia, 18 - 25 Settembre 1975.
    Pistoia 1978, pp. 688 con illustrazioni.
    Lire 25.000

13 Emmina De Negri
    OTTOCENTO E RINNOVAMENTO URBANO: CARLO
    BARABINO.
    Genova 1977, pp. 190, 141 illustrazioni b/n, 30 a colori di
    riproduzioni, bibliografia, indice dei nomi, indice dei luoghi,
    rilegato.
    Lire 22.000

14 Ennio Francia
    1506 - 1606 STORIA DELLA COSTRUZIONE NEL NUOVO
    SAN PIETRO.
    Roma 1977, pp. 220, 195 illustrazioni, formato cm. 29 x 25.
    Lire 30.000

15 Damiano Venanzio Fucinese
    ARTE E ARCHEOLOGIA IN ABRUZZO, BIBLIOGRAFIA.
    A cura dell'Università degli Studi di Roma, Istituto di
    fondamenti dell'Architettura.
    Roma 1978, pp. 382, indice degli autori, indice degli
    artisti, indice dei nomi propri, indice delle località,
    indice analitico.
    Lire 15.000

16 G. Gabardi
    FIRENZE ELEGANTE.
    Roma 1978 (ristampa anastatica dell'ed. Firenze 1886), pp. 160.
    Lire 6.000

17 Francis Haskell
    ARTE E LINGUAGGIO DELLA POLITICA, e altri saggi.
    Disponibile solo in questa edizione italiana, una raccolta
    di saggi dal 1964 al 1977, nei quali vengono affrontati i
    complessi rapporti tra collezionismo e società dalla fine
    del Settecento al Novecento
    Firenze 1978, pp. 244, illustrato.
    Lire 9.000

18 Istituto di Storia dell'Arte dell'Università di Roma
    I CISTERCENSI E IL LAZIO.
    Atti del Convegno, Roma, Maggio 1977.
    Roma 1978, pp. 400, 172 illustrazioni, formato cm. 28 x 21.
    Lire 30.000

19 Istituto di Storia dell'Arte dell'Università di Roma.
    ROMA E L'ETA' CAROLINGIA.
    Atti delle giornate internazionali di studio.
    Roma 1976, pp. 398, 144 illustrazioni b/n, formato
    cm. 30 x 23.
    Lire 30.000

20 Istituto Nazionale di Studi sul Rinascimento
    Lorenzo de' Medici
    LETTERE.
    Direzione Generale Nicolai Rubinstein,
    in collaborazione con
    The Harvard University, Italian Renaissance Studies, Villa I Tatti.
    The Renaissance Society of America,
    The Warburg Institute, University of London.

    Volume 1, (1460 - 1474)
    a cura di Riccardo Fubini.
    Firenze 1977, pp. 584, indice dei destinatari, indice dei nomi,
    rilegato in tela.
    Lire 35.000

21 Italia Romanica, volume 1:
    LA LOMBARDIA
    Testo di Sandro Chierici.
    Milano 1978, pp. 390, 143 illustrazioni b/n e a colori,
    rilegato.
    Lire 18.000
    Repertorio completo del romanico lombardo, con piante, quote
    e ricca documentazione fotografica a cura di Zodiaque. Seguiran-
    no altri tredici volumi riguardanti tutte le altre regioni d'Italia.

22 Wolfgang Kronig
    IL CASTELLO DI CARONIA IN SICILIA. Un complesso norman-
    no del XII secolo.
    "Romische Forschungen der Biblioteca Hertziana, 22".
    Roma 1977, pp. 130, 85 illustrazioni, formato cm. 30 x 23.
    Lire 30.000

23 Giulio Lensi Orlandi
IL PALAZZO VECCHIO DI FIRENZE.
Firenze 1977, pp. 300, 290 fotografie in nero e a colori, 6
piante, formato cm. 30 x 25, rilegato.
Lire 28.000
Guida capillare alla storia del palazzo e degli ambienti,
con la documentazione dei vari restauri ed interventi.

24 LEONARDO, LA PITTURA.
Testi di: Giulio Carlo Argan, Luciano Berti, Giuseppe Mar-
chini, David A. Brown, Michele Alpatov, Tatiana Kustodieva,
Ludwig H. Heydenreich, Deoclecio Redig De Campos, Luisa
Becherucci, Cecil Gould, Anna Maria Brizio, Marco Rosci,
Franco Russoli, Maria Rzepinska, Daniel Arasse, Carlo Pedret-
ti, René Huyghe, Kenneth Clark, Jean Rudel, Peter Meller,
Maurizio Calvesi.
Firenze 1977, pp. 220, 43 riproduzioni a colori, formato
cm. 45 x 33, rilegato.
Lire 150.000

25 Luigi Mallé
MICHAEL PACHER
Torino 1977, pp. 132 di testo + 106 illustrazioni b/n, formato
cm. 29 x 21.
Lire 25.000

26 MANTOVA E I GONZAGA NELLA CIVILTA' DEL RINASCI-
MENTO.
Atti del Convegno organizzato dall'Accademia Nazionale dei
Lincei e dall'Accademia Virgiliana, con la collaborazione della
città di Mantova.
Mantova 6 - 8 Ottobre 1974.
Mantova 1977, pp. 498, illustrato, formato cm. 32 x 21.
Lire 18.000

27 Guglielmo Matthiae
PITTORI, COMMITTENTI, FRUITORI NELL'ITALIA ALTO-
MEDIOEVALE.
Roma 1977, pp. 266, 62 illustrazioni b/n, rilegato.
Lire 12.000

28 Amalia Mezzetti
GIROLAMO DA FERRARA DETTO DA CARPI, L'OPERA
PITTORICA.
Milano 1977, pp. 112 di testo + 20 tavole a colori e 63 b/n,
regesto di Tommaso e Girolamo da Carpi, catalogo dei di-
pinti, bibliografia, formato cm. 29 x 23, rilegato.
Lire 20.000

29 MISCELLANEA FIORENTINA DI ERUDIZIONE E STORIA.
A cura di Iodoco Del Badia.
Roma 1978 (ristampa anastatica dell'ed. Firenze 1902),
2 volumi, pp. 192, indice geografico, cronologico e onoma-
stico.
Lire 13.000

30 I MUSEI ITALIANI, ITALIAN MUSEUMS.
Informazioni, indirizzi, orari.
A cura di Giorgio Riva.
Milano 1977, pp. 254.
Lire 4.000

31 Rodolfo Pallucchini
PROFILO DI TIZIANO.
Firenze 1977, pp. 67 di testo + 58 tavole a colori, formato
cm. 37 x 27.
Lire 40.000

32 Roberto Pane
IL RINASCIMENTO NELL'ITALIA MERIDIONALE.
Volume 2
Milano 1977, pp. 592, con 240 pp. di illustrazioni, indice
dei nomi, indice degli artisti, indice dei luoghi, formato
cm. 27 x 24, rilegato.
Lire 50.000

33 volume 1, 1975, pp. 243 + 272 illustrazioni.
Lire 30.000

34 Roberto E. L. Panichi
I PRINCIPI DELLA PITTURA FIGURATIVA NELLE TESTI-
MONIANZE DEGLI ARTISTI E DEGLI SCRITTORI D'ARTE.
Prefazione di Ugo Procacci.
Pisa 1977, pp. 266.
Lire 12.000

35   Terisio Pignatti
ANTONIO CANAL DETTO IL CANALETTO.
Firenze 1976, pp. 210, 139 illustrazioni a colori, bibliografia,
formato cm. 45 x 33, rilegato in tela.
Lire 180.000

36   Giovanni Previtali
LA PITTURA DEL CINQUECENTO A NAPOLI E NEL
VICEREAME.
Torino 1978, pp. 212 + 173 illustrazioni fuori testo, biblio-
grafia, indice dei luoghi e delle opere, indice degli artisti,
indice dei nomi.
Lire 25.000

37   Teresa Pugliatti
AGOSTINO TASSI TRA CONFORMISMO E LIBERTA'.
Monografie dei Quaderni dell'Istituto di Storia dell'Arte,
Facoltà di Lettere, Università di Messina.
Roma 1977, pp. 190 di testo + 233 illustrazioni, bibliografia,
indice dei luoghi, musei e collezioni, indice dei nomi.
Lire 10.000

38   Eugenio Riccomini
VAGHEZZA E FURORE, LA SCULTURA DEL SETTECENTO
IN EMILIA E IN ROMAGNA.
Bologna 1977, pp. 386 con 260 illustrazioni b/n, bibliografia,
indice analitico, formato cm. 30 x 22.
Lire 38.000

dello stesso autore:
39   ORDINE E VAGHEZZA, LA SCULTURA IN EMILIA NELL'ETA'
BAROCCA.
1972, Lire 30.000

40   Renato Roli
PITTURA BOLOGNESE 1650 - 1800, DAL CIGNANI AL
GANDOLFI.
Bologna 1977, pp. 740, con 408 di illustrazioni, bibliografia
iconografia, regesti biografici, cataloghi delle opere, indice
dei nomi di persona e di luogo, formato cm. 27 x 22, rilegato.
Lire 36.000

41 Giandomenico Romanelli
VENEZIA OTTOCENTO. Materiali per una storia architettonica
e urbanistica della città nel secolo XIX.
"Collana di Architettura 18"
Roma 1977, pp. 622 + 373 illustrazioni b/n, bibliografia, indice
dei nomi e dei luoghi, rilegato.
Lire 20.000

42 Arturo Schwarz
MAN RAY, IL RIGORE DELL'IMMAGINAZIONE.
Milano 1977, pp. 394, 513 illustrazioni b/n e colori,
bibliografia, indice analitico, rilegato.
Lire 25.000

43 SCRITTI RINASCIMENTALI DI ARCHITETTURA.
Sommario:
Federico da Montefeltro, Patente a Luciano Laurana a cura di
        Arnaldo Bruschi;
Luca Pacioli, De divina proportione a cura di Arnaldo Bruschi;
Francesco Colonna, Hypnerotomachia Poliphili a cura di Arnaldo
        Bruschi;
Leonardo da Vinci, Frammenti sull'architettura a cura di Corra-
        do Maltese;
Pareri sul Tiburio del Duomo di Milano: Leonardo, Bramante,
Francesco di Giorgio a cura di Arnaldo Bruschi;
Cesare Cesariano e gli studi vitruviani del Quattrocento a cura
        di Manfredo Tafuri;
Lettera a Leone X a cura di Renato Bonelli.
Milano 1978, pp. 500, illustrato, formato cm. 27 x 19, rilegato.
Lire 40.000

44 Salvatore Settis
LA "TEMPESTA" INTERPRETATA; GIORGIONE, I COMMIT-
TENTI, IL SOGGETTO.
Torino 1978, pp. 160 di testo + 69 illustrazioni b/n.
Lire 10.000

45 Gian Maria Tarabelli
PALAZZI PUBBLICI D'ITALIA, NASCITA E TRASFORMAZIONE
DEL PALAZZO PUBBLICO IN ITALIA FINO AL XVI SECOLO.
Busto Arsizio 1978, pp. 258, 316 illustrazioni b/n, formato cm.
32 x 25, rilegato.
Lire 40.000

46 Clauco B. Tiozzo
LE VILLE DEL BRENTA. Da Lizza Fusina alla città di
Padova.
Venezia 1977, pp. 460, 685 illustrazioni b/n e colori,
bibliografia, indice degli artisti, formato cm. 29 x 26,
rilegato.
Lire 40.000

47 Erasmo Vaudo
SCIPIONE PULZONE DA GAETA, PITTORE.
Gaeta 1976, pp. 45 di testo + 55 illustrazioni b/n.
Lire 6.500

48 Rosalba Zuccaro
GLI AFFRESCHI NELLA GROTTA DI SAN MICHELE AD
OLEVANO SUL TUSCIANO.
"Studi sulla pittura medievale campana 2"
Roma 1977, pp. 128 di testo + 243 illustrazioni b/n, formato
cm. 29 x 21.
Lire 45.000

Studi sulla pittura medievale campana 1:
49 Anna Carotti,
GLI AFFRESCHI DELLA GROTTA DELLE FORMELLE A
CASTELVECCHIO.
Roma 1974, pp. 172.
Lire 15.000

PERIODICA

50 Messina. Università. Facoltà di Lettere e Filosofia. Istituto di
Storia dell'Arte Medievale e Moderna. Quaderni: N. 2 (1976),
Roma 1977, pp. 68 di testo + 55 pp. di illustrazioni b/n.
Lire 10.000

51 MUSEI FERRARESI 1975/1976, Bollettino Annuale 5/6.
Firenze 1977, pp. 330, illustrato b/n
Lire 12.000

52 Quaderni di Brera: N. 4
Giovanni Romano, Maria Teresa Binaghi, Domenico Collura
IL MAESTRO DELLA PALA SFORZESCA.
Firenze 1978, pp. 48, illustrato b/n.
Lire 3.500

CATALOGHI

Bari:

53 Pinacoteca Nazionale di Bari
LE COLLEZIONI DELL'800 E DEL PRIMO 900.
A cura di Christine Farese Sperken.
Novembre 1977 - Febbraio 1978.
Bari 1977, pp. 112, illustrato b/n e colori, formato cm. 28 x 21.
Lire 10.000

Bassano del Grappa:

54 GIANDOMENICO TIEPOLO 1727 - 1804. Acqueforti, tele, disegni
nel 250^ della nascita.
A cura di Fernando Rigon.
Dicembre 1977 - Marzo 1978.
Bassano del Grappa 1978, pp. 92, illustrato.
Lire 4.500

55 IL MUSEO CIVICO DI BASSANO DEL GRAPPA, DIPINTI DAL
XIV AL XX SECOLO.
A cura di Licisco Magagnato e Bruno Passamani.
Vicenza 1978, pp. 214 + 243 illustrazioni b/n e 16 a colori,
bibliografia, indice delle esposizioni citate, indice iconografico
dei dipinti, indice analitico.
Lire 10.000

Bergamo:

56 I FANTONI, QUATTRO SECOLI DI BOTTEGA DI SCULTURA
IN EUROPA.
A cura di Rossana Bossaglia.
Vicenza 1978, pp. 460 + 260 illustrazioni b/n e 10 a colori.
Lire 15.000

Bologna:

57 LE COLLEZIONI D'ARTE DELLA CASSA DI RISPARMIO IN
BOLOGNA. I disegni, III: Dal Paesaggio Romantico alla Veduta
Urbana.
A cura di Franca Varignana.
Bologna 1977, pp. 43 di testo + 222 illustrazioni b/n e colori +
+ repertorio generale per complessive pp. 494, formato cm.
28 x 22, rilegato.
Lire 30.000

58 Pinacoteca Nazionale di Bologna, Gabinetto delle Stampe
    INCISORI LIGURI E LOMBARDI DAL XV AL XVIII SECOLO.
    Sezione VI del "Catalogo Generale della Raccolta di Stampe
    Antiche"
    Bologna 1977.
    Lire 30.000

59 Pinacoteca Nazionale di Bologna, Gabinetto delle Stampe
    INCISORI TOSCANI DAL XV AL XVII SECOLO.
    Sezione IV del "Catalogo Generale della Raccolta di Stampe
    Antiche"
    Bologna 1976.
    Lire 32.000

Castelfranco Veneto:

60 GIORGIONE, LA PALA DI CASTELFRANCO VENETO.
    Quinto Centenario della Nascita.
    Maggio - Settembre 1978.
    Milano 1978, pp. 80, illustrato b/n e colori, rilegato.
    Lire 8.000

Cortona:

61 Marcella Degl'Innocenti Gambuti
    I CODICI MINIATI MEDIEVALI DELLA BIBLIOTECA COMUNA-
    LE E DELL'ACCADEMIA ETRUSCA DI CORTONA.
    Estate 1977, Estate 1978.
    Firenze 1977, pp. 162, illustrato,   formato cm. 30 x 23.
    Lire 7.000

Firenze:

62 BRUNELLESCHI ANTI-CLASSICO.
    Mostra critica nel Refettorio e Chiostri di Santa Maria
    Novella.
    Ottobre 1977 - Gennaio 1978.
    Firenze 1977, pp. 96, interamente illustrato b/n e colori.
    Lire 5.000

63 LA CASA RURALE NEL CHIANTI. Indagine su una zona cam-
    pione: Il territorio comunale di Radda.
    Mostra Fotografica, Aprile - Maggio 1978.
    Centro Studi sulla cultura contadina del Chianti.
    Firenze 1978, pp. 33 di testo + 52 illustrazioni b/n.
    Lire 3.000

64　DISEGNI DI GIOVAN BATTISTA FOGGINI (1652 - 1725).
A cura di Lucia Monaci
"Gabinetto Disegni e Stampe degli Uffizi"
Firenze 1977, pp. 132 di testo e schede + 102 illustrazioni b/n.
Lire 8.000

65　ESPOSIZIONI FUTURISTE 1912 - 1918.
A cura di Piero Pacini.
26 Cataloghi originali in riproduzione anastatica integrale.
Firenze 1978, 26 cataloghi in cofanetto, illustrati, formato
cm. 17,5 x 12.
Lire 48.000

66　IL MUSEO DEL BIGALLO A FIRENZE.
A cura di Hanna Kiel.
"Gallerie e Musei di Firenze" collana diretta da Ugo Procacci.
Milano 1977, 140 pp., 109 illustrazioni b/n e colori, schede,
rilegato.
Lire 15.000

67　Ricerche Brunelleschiane,
FILIPPO BRUNELLESCHI: L'UOMO E L'ARTISTA.
Mostra documentaria a cura di Paola Benigni.
Firenze 1977, pp. 120.
Lire 4.000

Gaeta:

68　LA VEDUTA DI GAETA NELL'OTTOCENTO NAPOLETANO.
A cura di Salvatore Abita, Erasmo Vaudo, Ennio Albano,
Giuliano Imondi.
Agosto - Settembre 1977.
Gaeta 1977, pp. 116, 45 illustrazioni b/n.
Lire 6.000

Genova:

69　RESTAURI IN LIGURIA.
Genova 1978, pp. 304, illustrato b/n e colori, bibliografia per
ogni pezzo.
Lire 12.000

70　RUBENS A GENOVA.
A cura di Giuliana Biavati, Ida Maria Botto, Giorgio Doria,
Giuliano Fabretti, Ennio Poleggi, Laura Tagliaferro.
Dicembre 1977 - Febbraio 1978.

Genova 1977, pp. 306, 122 illustrazioni b/n, bibliografia.
Lire 15.000

Matera:

71 Soprintendenza Archeologia della Basilicata,
IL MUSEO NAZIONALE RIDOLA DI MATERA.
Matera 1976, pp. 150 di testo + 55 di illustrazioni b/n.
Lire 3.500

Milano:

72 Gian Guido Belloni,
GABINETTO NUMISMATICO.
"Musei e Gallerie di Milano".
Milano 1977, 2 volumi, pp. 402, 1158 pezzi, bibliografia,
formato cm. 25 x 25, rilegati.
Lire 35.000

73 Giulia Bologna,
MUSEO DELLE LEGATURE WEIL WEISS ALLA TRIVULZIANA.
"Musei e Gallerie di Milano".
Milano 1976, pp. 244, 438 illustrazioni b/n e colori, formato
cm. 25 x 25.
Lire 25.000

74 DISEGNI ANTICHI, ARCHITETTURA, SCENOGRAFIA,
ORNAMENTI.
A cura di Guido del Borgo e Giorgio Neerman.
Milano 1978, pp. 62, illustrazioni b/n.
Lire 6.000

75 DUECENTO ANNI ALLA SCALA.
Febbraio - Settembre 1978.
Milano 1978, pp. 204, illustrazioni.
Lire 12.000

76 JOHAN HEINRICH FÜSSLI. Disegni e dipinti.
A cura di Lamberto Vitali.
Museo Poldi - Pezzoli, Novembre 1977 - Gennaio 1978.
Milano 1977, 61 pp., 47 illustrazioni b/n e colori, rilegato.
Lire 8.000

77 SCULTURA ROMANTICA E FLOREALE NEL DUOMO DI
    MILANO.
    A cura di Rossana Bossaglia e Marilisa di Giovanni.
    Museo del Duomo di Milano, Dicembre 1977 - Febbraio 1978.
    Milano 1977, pp. 76, bibliografia generale.
    Lire 4.500

Modena:

78 LIBRI DI IMMAGINI, DISEGNI E INCISIONI DI GIOVANNI GUERRA.
    (Modena 1544 - Roma 1618).
    Palazzo dei Musei, 18 Marzo - 30 Aprile 1978.
    Modena 1978, pp. 90 di testo + 60 di illustrazioni b/n.
    Lire 5.000

Prato:

79 LORENZO BARTOLINI.
    Mostra delle Attività di Tutela.
    Prato, Palazzo Pretorio, Febbraio - Maggio 1978.
    Firenze 1978, pp. 304, illustrazioni b/n.
    Lire 10.000

Roma:

80 DISEGNI DI PIETRO DA CORTONA E CIRO FERRI.
    Dalla Collezione del Gabinetto Nazionale delle Stampe.
    A cura di Maria Giannatiempo.
    Roma 1977, pp. 220, 144 illustrazioni b/n.
    Lire 6.000

81 I GALLI E L'ITALIA.
    A cura della Soprintendenza Archeologica di Roma.
    Catalogo a cura di Paola Santoro.
    Roma 1978, pp. 278, illustrazioni, bibliografia per ogni pezzo,
    rilegato.
    Lire 10.000

82 PITTORI DANESI A ROMA NELL'OTTOCENTO.
    Prefazione di G.C. Argan.
    Palazzo Braschi, Novembre - Dicembre 1977.
    Kopenhaghen - Roma 1977, pp. 76 di testo + 30 pp. di
    illustrazioni b/n e colori.
    Lire 5.000

Rovigo:

83 MARIO CAVAGLIERI 1887 - 1969.
Accademia dei Concordi, Maggio - Giugno 1978.
Firenze 1978, pp. 186, 150 illustrazioni b/n e colori.
Lire 8.000

Siena:

84 Piero Torriti
LA PINACOTECA NAZIONALE DI SIENA. I dipinti dal XII al
XV secolo.
Genova 1977, pp. 435, illustrazioni a colori e b/n, bibliogra-
fia per ogni dipinto e bibliografia generale, formato cm.
28 x 22, rilegato.
Lire 40.000

A fine 1978 i dipinti dal XV al XVIII secolo della Pinacoteca
Nazionale di Siena.

Torino:

85 Galleria Giorgio Caretto,
LA PITTURA PIEMONTESE NEL XVIII SECOLO.
Esposizione-vendita di 76 opere d'autore. Novembre 1977.
Torino 1977, pp. 152, 76 opere illustrate.
Lire 8.000

Treviso:

86 GUGLIELMO CIARDI.
A cura di Luigi Menegazzi
Saggi di Elena Bassi, Fortunato Bellonzi, Valerio Mariani,
Luigi Menegazzi, Guido Perocco, Mario Rotili.
Ca' da Noal, Settembre - Novembre 1977.
Treviso 1977, pp. 164, 129 illustrazioni b/n e colori, rilegato.
Lire 9.000